POESIE

Mary Wortley Montagu

L'USIGNUOLO

Francesco De Lemene

POESIE

Ciro Di Pers

© 2023 Culturea Editions

Texte et illustration de couverture : © domaine public
Edition : Culturea (Hérault, 34)
Contact : infos@culturea.fr
Retrouvez notre catalogue sur http://culturea.fr
Imprimé en Allemagne par Books on Demand
Design typographique : Derek Murphy
Layout : Reedsy (https://reedsy.com/)

Dépôt légal : janvier 2023

ISBN : 9791041962402

I

Che comodi bensì, ma non delizie
la vita coniugale a l'uomo arrechi,
disse saggio novello, e applauso n'ebbe
da la gente che sola esser nel mondo
colta si vanta e dar le leggi e i nomi
del costume leggiadro a tutta Europa.
D'oppormi ardisco al celebrato dogma
ma falso, periglioso ed abborrito
dall'anime ben nate. Udite, o sposi,
cui diede il Ciel virtù pari a l'amore.

Proprî piaceri all'uomo e non a' bruti
ci apprestò la natura: a noi non basta
gioir di scelto cibo o d'almo sonno
o d'altro instinto macchinale e cieco;
convien che la ragion governi il senso,
e del senso i piaceri e della mente
stringa ingegnosa in armonia concorde,
da cui nasce virtude o ciò che rende
ad un tempo perfetti il corpo e l'alma.
Un amor dunque che ragion non guida
se gli manca virtù, destar non puote
piacer degno dell'uom. S'inebbri il core
di nettarea dolcezza allor che a forza
di sofferenze e sordidezze arriva
a sfogar orgogliosa, avara voglia,
a miti ignota ed a feroci belve;
non gusterà che piacer breve e vile
a fronte del piacer illustre, eterno,
che pia riconoscenza e giusta stima
ed amicizia su virtù fondata
beando inspira alle magnanim'alme,
e con industrie ognor novelle affina
e con dolcezze ognor novelle molce
tenerezza d'Amor. I saggi antichi
dipinser questi d'un fanciullo a guisa,

4

tenero, dilicato ed incapace

di mai nocer altrui, pago di poco,

vago di vezzi e d'infantili scherzi

e de' piaceri i più soavi e puri.

Il vile Amor (accarezzato ah troppo

da gli uomini!) qual satiro si pinse,

in cui men v'ha de l'uom che de la bestia,

verace immago del desio sfrenato,

duce e compagno de' lascivi amanti.

Qual mai può dar delizia a onesto core

passïon che saziar se stessa cerca

sacrificando la beltà pregiata?

Passïon che ingiustizia e frode crea,

e menzogna sostien? Segue il delitto,

il rimorso, il dispregio e la vergogna,

sozzo corteggio e al par di quel orrendo

che tra i covili delle Furie vide

su la soglia infernale il pio Troiano.

Gemere sempre in un'angustia estrema,

gustar dolcezze d'amarezza piene,

lieto seguir ciò che condanna il mondo,

ogni senso d'onor strappar da l'alma

e rinunziare a la virtude senza

goder del vizio, sono i pregi e l'arti

de la leggiadra ed amorosa vita.

Saggia donna perciò sdegnando i prieghi,
sdegnando i pianti d'un amante astuto,
in lui detesta un seduttor intento
a superar fragile e incauto core,
per piacer passaggiero ed ottenuto
a costo della gloria e del riposo
e della vita ancor de la cortese
idolatrata amante. È meno reo
di costui masnadier ch'arma da foco
appressa al sen di viator smarrito,
per trargli gemma tra le vesti ascosa.
Oso dir che, se nata io fossi un uomo,
mi costerebbe men l'atroce idea
d'un assassinio che l'ordita frode
di corrompere amando onesta donna,
in sua casa felice e al mondo in pregio.
Adunque io con promesse e con lusinghe
e tal ora con lagrime o con ire
tento affetto inspirar, cui poi convenga
sacrificar senza rimorso o tema
tranquillitade, onore e sin virtude!
Io rendo abbominevole una donna
perché amabil mi sembra, e ricompenso
la tenerezza sua rendendo a lei
detestabil lo sposo, indifferenti

i figli ed in orror tutta la casa!

Illegitima fiamma è questa. Io 'l veggo.

Ma nell'esagerare i danni e l'onte

d'un amor vuoto di ragione, accenno

quai le delizie sian di quell'amore

che, da ragion illuminato e retto,

tutto rivolge de l'amata a l'uso,

a l'onor, a la fama ed ai vantaggi.

Sposi felici! A voi del par serene

scorron le notti e i giorni, e godereste

pari felicità ne le capanne

che nelle reggie, e da gran folla cinti

che soli conducendo all'erbe il gregge.

De' consigli, de l'opre e de gli amori

beati un solo è il fine, uno il desio,

e non mai l'interrompe o scema o estingue

tristezza, sdegno, gelosia, dispetto,

rimostranza mordace, imperio duro.

Suole il volgo chiamar con riso amaro

credulo sciocco e geloso tiranno

un marito, e chiamar suole una moglie

un demonio dimestico ed uscito

dalle spelonche de l'Inferno al giorno

per ingannar e tormentar. Sfacciati,

maligni nomi; ma gli avvera spesso

il contegno, i lamenti ed i furori

di que' mariti alle cui nozze assiste

ambizion, interesse e non amore.

Per altro il nome di marito e moglie

nome è d'onor, di dignitade, e accenna

la civil vita onde chiamianci umani.

La moglie è come il dolce fin de l'opre,

ed il marito n'è il ministro saggio,

ed ambo denno in pubblico e in privato

l'un con la lingua oprar, l'altra col ciglio,

l'uno in lei gloria e l'altra in lui virtute.

La sposa di servir gode a lo sposo,

né mai si mostra bassamente umìle

e né pur mai senza umiltade altera;

umiltà che dal cor, da gli occhi, quale

raggio da stella, in larga copia piove,

onde di grazia, di virtù, d'onore

ogni atto si rabbelli e amor risvegli

e riverenza. Dignità regale

serba nel comandar l'amante sposo,

ma senza fasto ed arroganza, e cerca

più col comando prevenir la voglia

che contrastarla, e a perigliose imprese

mentre a pro de la patria egli si volge,

reggere lascia la famiglia tutta,

qual alma il corpo, a la prudente moglie.

Così gli sposi da natura eletti,

mossi da amore e da ragione scorti

vivono, tra i lor volti e le lor voglie

quella proporzïon dolce regnando

che regna tra la vista e tra la luce,

tra la lingua e 'l sapor, gli orecchi e 'l suono.

Aurea quindi amistà, candida pace,

lieta concordia in lor magione alberga,

né da le porte, opra d'invidie e d'ire,

esce a vagar per la città, pe' borghi,

l'alata occhiuta mostrüosa dea,

che porta cento orecchie e mille lingue

perché più dice che non ode o vede.

Nel rimirar quindi le varie e tante

dolcissime d'amor industrie ed opre,

se mai d'amori favolose storie

a scriver m'occupassi, io non vorrei

già collocar le immagini leggiadre

de le varie fortune o su le sponde

del Lignone o nell'arcadi contrade.

Sì preziosa non son che ne' desiri

la tenerezza io limiti. Il romanzo

comincierei dall'imeneo concluso

di due persone, per ragione unite

de lo spirto e del cor. Vita felice

che in un accoppia gl'interessi e i giorni!

A l'amata di dar gode l'amante

di stima e confidenza il pegno estremo,

e l'amata a l'amante in ricompensa

con sollecite cure ognor procura

riposo e libertade. Oh vere prove,

oh prove incontrastabili di quella

tenerezza da cui l'anima è ingombra!

Non mi rinfacci dilicato falso
che il piacer de l'amore è ne' perigli
e ne l'asprezze ree, come la rosa
senza spine non è rosa, e molt'altre
fole di sciocco e püerile ingegno;
quasi il divino amor, di cui l'immago
rifulge in quello di due sposi amanti,
non consistesse in un riposo eterno
di mente e volontade appien beata.
Ma forse senza asprezze, ire, furori,
tenero puro e ognor costante amore
nel varïar pensieri, affetti ed opre
colorire ei non sa le dolci fiamme
in guise mille, qual raggio di sole
che riflettendo da una conca d'acqua
a l'opposta parete o sotto il tetto
vi dipinge mille iridi intrecciate
di colori ondeggianti e tutti vaghi?

Gli obblighi vicendevoli e le gare,

del benevolo amore industrie pronte,

come l'ore del dì candide e brune

vanno rotando entro d'un cerchio eterno

a' due sposi d'intorno, e 'l vario giro

delizie accresce a la gioconda vita,

e nulla v'è che le interrompa o tolga.

Fata non inventâr le Muse ibere

che né più presto, né con più vantaggio

del favorito, trasformasse in perle

sassi o in rubini e in oro arnesi vili,

come uno sposo od una sposa amante

velocemente per istinto cangia

di tenerezza in dolci sensi e grati

l'economiche cure altrui sì basse.

S'io profumo una stanza o l'abbellisco

di pitture e di vasi, adorno un luogo

ove aspetto l'amante; se apparecchio

una cena od un pranzo od un rinfresco

ne' caldi dì, l'invito a passar meco

l'ore più care. Oh mille volte e mille

piacer più vivi e lusinghieri e accorti

che spettacoli, giochi e caccie e danze,

ove la lor felicità ripone

la del vero piacer folla incapace!

Né solo indora le più vili cose

l'amor contento di due sposi amanti,

non meno le moleste ei tempra e molce.

Di una guerra gli acerbi e lunghi affanni,

di una Corte i superbi e perigliosi

fastidî, cari a innamorato sposo

riescono, qual or dice a se stesso:

«Consacro a l'amor mio queste fatiche».

Ardui dissegni la fortuna compia

ed a lo sposo in sen piova ricchezze,

glorie, trofei, de la sua bella ai piedi

gli offre quasi tributi o vinte spoglie,

e lei ringrazia che inspirato l'abbia

co' bei consigli ed utili lusinghe,

e seco gioia più vivace trovi

ne' dolci amplessi sin a lor sospesi

che ne l'evento lungamente ambito.

Della sua dignità la gloria ei gode

e gode d'aumentar i suoi tesori,

perché splendore accrescono e rispetto

a l'amata, e la fa tra l'altre spose

rifulger qual la luna in mezzo agli astri.

A l'incontro eccheggiare a sé d'intorno

l'amata udendo de l'amante i plausi,

in liete voci alto ringrazia e loda

guerrieri, duci, re, plebe e senato

intenti ad onorar con statue e gemme

il senno ed il valor del dolce sposo.

Oh come poi tra le sciagure e l'onte

ei si consola in ritirarsi appresso

di lei che seco soffre e seco piange,

e con quale dolcezza a lei rivolto

nello stringerla al sen: «No, non dipende

la mia felicità dalla fortuna»,

dice e, di gioia sfavillando, aggiunge:

«Che la fortuna mi persegua e scopo

ella mi faccia delle sue saette,

saette inevitabili, io ritrovo

tra le tue braccia asilo certo e cheto,

né, se mi pregi tu, m'affanna o adira

l'ingiusta Corte od il signore ingrato.

Nelle perdite mie godo il piacere

di meritar da te prove novelle

di tenerezza e di virtude. Vane

son le grandezze a chi felice vive.

Né cerco chi m'adùli, e mi corteggi

se regno nel tuo core e in te possedo

ogni delizia che può dar natura».

Al fin non àvvi ne la vita umana

sito tanto molesto onde non possa

la tristezza scemarne il caro oggetto

d'un mutuo amor. L'infirmitade stessa

non è senza dolcezza allorché assiste

a la cura l'amante. Altro io non dico

di quanto ne' reciprochi contenti

molle e ingegnosa fantasia soddisfa,

e con la voluttá più pura e stesa

ogni senso lusinga ed accarezza.

Pur in obblio non posso por il dolce

instinto di natura e che raffina

(esprimendolo ognor co' nuovi segni)

la tenera amicizia e 'l pago amore.

Quanto ei gode a scherzar vedendo intorno

a lieta mensa i pargoletti figli

e udirli balbettar quei nomi dolci

sempre a l'avide orecchie e al core amante!

Un padre spesso ne la figlia bacia

la beltà della madre, ed una madre

nel suo figlio lo spirito rispetta

e l'orme d'onestà scorte nel padre;

ma la gioia maggior è che lo sposo

nulla fa, nulla pensa e nulla vuole

che d'ogni suo pensier, d'ogni sua voglia,

d'ogni opra sua senza tormento e sforzo

la sposa non ne faccia a sé tesoro,

grandezza, fregio, onor, diletto e pace.

Paradiso terrestre il più soave

immaginar non so che quel goduto

da' primi padri. Ne l'età, nel volto

conformi e ne l'instinto e negli affetti

nulla mancava a' lor piacer felici

e sempre nuovi; ma duraro poco

per colpa loro, ed al futuro mondo

parve Eva stolta e poco accorto Adamo.

Quando simile gente il caso accoppia,

se ben arda l'amor non dura o cresce,

ma sempre si minora e al fin dilegua.

Nel tempo del furor del primo amore,

di soprannaturali idee mendaci

s'empie la mente e il cor; l'uomo vedendo

bella la donna sua, qual dea l'ammira,

degna del culto che umilmente l'offre;

e la donna, di sé contenta, e grata

a chi l'adora, amor e grazie rende.

Del bel sembiante il cangiamento primo

l'adorazion sospende, ed il marito,

cessando d'adorar, odioso fassi

a lei che perde il desiato culto.

Il disgusto comincia a poco a poco

ed a l'esempio de' primieri padri

sdegnosamente l'un lancia su l'altro

della loro reciproca e importuna

debolezza il delitto. A la freddezza

segue la noia ed il disprezzo, e al fine

convinti son che odiar si denno appunto

perché son maritati. Ottico vetro

non ingrandisce sì de la minuta

sabbia i granelli, come a' guardi attenti

si dilatano i minimi difetti

nel gesto e nel parlar scorti o nel volto.

Non si vede né cura, anzi si sprezza

e si detesta quanto tocca e punge

ed addolcisce i più selvaggi petti;

e quel che prima era di noia oggetto,

di nausea fassi e alfin d'orrore e scherno.

Così commerzio, che si fonda e cresce

su' sensi, allor si perde ed anche abborre,

ché 'l lungo uso infiacchisce e stanca il senso.

Uom degno di fpofar l'amante amata

non dimentichi mai ch'ella è mortale,

a infirmità soggetta ed a' capricci

ed al cattivo umor; alta costanza

prepari a sostener della fugace

beltade i danni; ampio tesoro ammassi

di compiacenze, onde anche vecchia adori

la sposa e finga a sé ch'ella è più saggia

od inegual meno d'ogn'altra donna.

Dal suo canto non già la donna aspetti

lusinghe ognora adulatrici e cieche,

ma lieta e pronta ad ubbidir s'appresti

ne le cose più ingrate. Ogni arte adopri

per supplir senza sforzo a i pregi antichi:

opponga ai vezzi d'un amante il senno

d'un'amica sincera e non s'avvisi

di vendicarsi del marito stanco

cercando amante che, co' suoi consigli

interessati, nel guidarla accenda

discordie inestinguibili e funeste

al riposo, all'onore, a' figli, al padre.

Io non inganno o adùlo, e non richieggo

perdono o scusa, ma ben grazie e lodi,

esagerando le sventure e i danni

de' vizî non deformi e atroci meno

perché in uso passâr. So che con nostro

danno si calcolaro e con vergogna

le sì vantate ingentilite foggie,

che concessero a' vizî il sommo impero

e a le sciagure, a' vizî ognor compagne.

So che natura è debole e soggetta

al cangiamento, e che non è sì lieve

d'aver ingegno e cor che lodi e vanti

l'ombreggiato imeneo, l'approvi e cerchi.

L'idee più saggie preferir non lice

a l'usanze introdotte, e si dispregia

come stolto colui che non approva

l'uso, sebben danno gli arrechi o noia.

Molto soffre a veder marito amante

sua moglie a tutte del bell'uso in preda

le libertà. S'accuseria di rozzo

se le impedisse o ricusar volesse

di conformarsi a le maniere colte,

sdegnando di mirar le nude mani

de la moglie e tal or le nude braccia

in balìa di chi prenderle s'avvisa

ed afferrarle qual tenaglia il ferro;

e guai che cogli amici ei si dolesse

ch'ella del sen ostenti i finti avorî,

che s'invermigli il volto e accorci il crine

sol per far pompa della sua bellezza

ne' balli e ne' teatri, ove impaziente

corre ad udir le insipide ed inette

adulazion di cento sciocchi e cento.

Chi creatura sì pubblica mai puote

pregiar quant'ella lo pretende? Io vidi

in Bisanzio l'amabile Sultana

che dal Serraglio uscir astrinse Acmette,

e favellando come avea per uso

meco, candidamente un dì mi disse:

«Lieta e paga io mi son del mio consorte,

ma voi, dame europee, libere troppo

siete». Soggiunse: «Conversar vi lice

cogli uomini ad arbitrio e v'è permesso

al pari de l'amor l'uso e del vino

senza modo o misura». Io le risposi

che ben non era de' nostr'usi instrutta:

le tollerate visite esser piene

di ritegno e rispetto, esser delitto

l'udir a favellar d'amore ed altri

amar che suo marito. Ella rispose:

«Oh gran bontà degli europei mariti,

se fedeltà sì limitata e scarsa

gli appaga! Non son forse a pubblic'uso

le vostre mani, il vostro volto e 'l core

e le parole? E che mai pretendete

riservare agli sposi?» Io ritrovai

tanta delicatezza e tanto senno

ne' suoi detti che tacqui ed arrossii

nel confrontar le ingentilite usanze

con le asprezze de' Traci. Oh infamia, oh scorno,

oh confusion! Le massime severe

del cristianesmo veggonsi commiste

con lo spartan libertinaggio? Gridi

il volgo e mi condanni. Io sì decido:

saggia donna che cerca esser felice

ne l'amor del marito, ah non si lasci

adorar mai dal pubblico, e un marito

ch'ama con vero amor la propria moglie

sdegni ed abbi in orror la fama ambita

di mostrarsi gentile al suo paese.

II

Sollecitata da l'istanze vostre
sovente replicate, alfin risolvo
di svilupparvi, o mia diletta amica,
i più arcani pensier de l'alma mia.
Quella che spesso voi biasmate tanto,
stupida indifferenza, io non la debbo
a natura, a timore od a vergogna.
Fredda non son qual è vestal di bronzo,
né féro impressïon su la mia mente
cauti consigli o pur sentenze saggie.
So che veloce de la vita passa
il tempo e so che, se la vita dura
poco, la gioventù dura ancor meno.
Ma d'esser ingannata io schifo e abborro
e per momenti di piacer non compro
anni di pentimento. Ad amar forse
io mi consiglierei se ritrovassi
(ma dove ritrovarlo e come e quando?)
uom che accoppiasse l'onestade al senno,
che sapesse apprezzare il suo piacere
e che del par contribuisse al mio,
che il proprio merto e i miei favori stolto
non vantasse, né trar profitto ardisse

da' suoi disegni. Io nol vorrei severo,

né pieno ancor d'una baldanza sciocca.

A mio senno vorrei farlo geloso,

se ben a lui mai gelosia non dessi.

Dotto e ingegnoso ei sia, ma non pedante,

e lieto e saggio, e non giammai stordito

e simile a colui che spesso ride

perché nulla ha da dir. Cortese appaia

ed affabile a tutto il sesso mio,

ma tra tutte me sola egli distingua.

Giusto decoro in publico conservi;

in me confidi e ne' suoi sguardi il mostri.

Mi si appressi di rado e con rispetto,

ma senza sciocca languidezza e senza

dimestichezza ardita ei mi saluti.

Allora, poi che delle pubbliche ore

sia passata la noia ed a secreta

mensa concesso di gustar ne sia

vin di Sciampagna e dilicati polli,

possan le più piacevoli pazzie

lusinghiera recarci ora felice:

da lunge ogni timor ci stia, da lunge

ogni discreto e timido contegno,

e l'arti dispregiando e le sembianze

tra la folla affettate, alfin scordiamci

ei d'esser rispettoso, io d'esser fiera.
A lui sia dato il dimostrarsi audace,
né disconvenga a me ch'io gli perdoni.
In somma ne' piacer più cari immersi
a gara confessiam che noi viviamo.
Ma perché più s'assodi il piacer nostro,
indissolubilmente in un s'accoppî
l'amicizia e l'amore, e siami grata
la sua benevolenza allor che i suoi
consigli reggeranno i patti miei.
De l'amante, di cui fovvi il ritratto
non potrà allontanarmi alcun periglio,
né a me lo rapirà tutto del mondo
l'oro, e fino ch'io viva amerò sempre
tal creatura prodigiosa. Dove
io non la trovi, come vissi assai
senza amor, morirò pur senza amore;
né mai mi si vedrà con le corische
divider la mia sorte. Non m'incanta
affettazion di bell'ingegno; indarno
sguardi curiosi, adulataci muse
tentan meco lor arti: ad esse chiusa
è la via del mio core. I dissoluti
abborro ed i zerbini spregio. Ninfa
dilicata s'invola al lor cospetto

e, come il misterioso Ovidio scrisse,

quali alberi ci alziamo a loro avante

o in ghiaccio ci cangiam di fiume a guisa.

III

O mille volte voi felice e mille
che abbandonate ognor la mente e il core
a de' piaceri sempre varî e nuovi!
La vostra mente per sei mesi volta
non era che a i palladici modelli,
né vi si udia parlar che di colonne
e di scale a lumaca e d'atrî e logge,
di passeggi coperti e vie nascoste:
le proporzion delle colonne elette
vi feriano, ed in qual estasi dotta
cadeste rimembrando or la bellezza
de l'ordine corintio ed or la ionica
maestade. Voi gli ordini tempraste
con arte degna di Vitruvio, e ordiste
al par corretta che venusta idea
d'un palagio fantastico, ma lenta
de lo stupido artefice la mano
troppo e fredda ubbidisce ai vivi imperî
del suo signor. Vi disgustaste poi
del fango, delle travi e delle pietre,
ed a le rustic'arti i voti vostri
furo rivolti. Solitarî boschi
apriste qui, colà portici ombrosi.

Rase poi le verdure, altre più vaghe

ne sorsero. Germogliano i dipinti

fiori con nodi mistici contesti

e quindi l'arte reca grazia e pregio

de la natura alla bellezza. Io vidi

che tal desio vi riscaldava il petto

la primavera; ma non tosto il freddo

intirizzì le vostre erbe dilette

che cangiaste pensiero e ne rimase

la vostra fantasia gelata. I boschi

vostre delizie abbandonate e tutto

per la cittade ardete: né lo stesso

paradiso terrestre i vostri passi

arresterebbe. Ambizïosa voglia

v'addita ciò che nel sovran potere

abbaglia. Anima vil sortì colui

che nell'oscurità brama celarsi;

e se ben de lo stato ognor le cure

la fatica accompagni, un cor ben nato

debbe alla patria sua cercar grandezze

e vigilare ai pubblici vantaggi:

questo è un dover che ogni dovere avanza.

Con simili pensieri entrando in Corte

v'occupate a parlar ben otto giorni

de' novelli disegni, dispregiate

della falsa politica i lavori
e voi ne architettate idee veraci:
«L'uom non è degno che di gravi cure,
e senza lunghe viste è troppo breve
l'umana vita, e troppo scarsa e lenta
la ricompensa di futura fama.»
Ma poco dopo soggiungete: «Io voglio
goder felicità sino ch'io vivo,
ed è l'amore il sol piacer ch'io sento.»
Vi ponete a mirar tutte le belle
bramando loro consecrar gli affetti,
e v'accingete industrïoso a l'opra
per sceglier qual tra vaghi fiori quello
che vi convien. V'avria rubato il core
la bellezza di Cloe senza i begli occhi
di Serpilla da voi mirata a caso.
In lei son fissi i vostri voti, voi
la divorate cogli ardenti sguardi,
e il vostro cor sollecito confessa
il venen dolce delle sue lusinghe,
ed a mirarla sempre più s'infiamma.
Languidamente sospirando udite
seco a cantar, e tra timore e speme
impaziente seguite i passi suoi
nelle scelte assemblee. Già siete presto

a dichiarar l'amor, tentar la sorte;

ma vi si affaccia su la scala Ormilla.

La sua persona, il portamento, gli atti

abbondan di lusinghe. Ella sorride,

e col sorriso vi ferisce; pari

a l'armonia del canto è la sua voce

soave. Sempre ella ha lo spirto in moto

e le grazie sul viso, e spasimandole

a lato le giurate eterno amore,

mentre Serpilla e Cloe passanvi avanti

gli occhi senza neppur che le vediate.

Come su l'affricane ardenti sabbie

v'imprime l'orme sue leggiera foglia

e la figura di pesante sasso,

ma fievol soffio d'improviso vento

abolisce del par l'una e l'altr'orma;

così del vostro cor la calda tempra

riceve impressïon da tutti gli occhi,

ma le immagini poi lievi o profonde

instabile desio cancella. Oh come

io sortii da la vostra alma diversa!

Son tra la folla, e non la veggo o attendo;

odo gli amanti, e alcun amor non provo;

non m'invesca chi adùla; non m'infiamma

l'altrui beltade. Negligente veggo

le danze, e fredda ascolto i canti e i suoni.

Così cammina su scogliosa rupe

innumerabil gregge, e non vi lascia

orma de' passi. Manda indarno il vento

i forti soffî su le sorde pietre,

e in van con mormorio le batte il flutto.

Grande il lavoro fia, grande il sudore

di chi tentasse d'improntar la selce.

Ma se arriva che mai pastor felice

e degli altri più industre imprima il proprio

nome sul marmo, i secoli correnti

non mai l'aboliranno e della vita

nol raseranno le tempeste irate.

Potran coprirlo ben di musco gli anni,

ma se ben invisibile, profonda

rimaneravvi la segnata piaga.

IV

Poco conosci il cor che tu consigli.

Vegg'io con occhio egual la varia scena

delle cose fallaci, e della Corte

tra la gran folla io mi ritrovo sola,

e ad un trono più alto offro gli omaggi.

Da lungo tempo so apprezzare il mondo:

pietà mi prende delle sue follie,

e le sue pompe spregio. Con pazienza

soffro la mia noiosa sorte e attendo

il mio congedo senza vil timore.

Di rado dell'uman genere osservo

le detestabil'arti; non ascolto

le maldicenze, non affetto lodi,

e senza cura il mio destin futuro

a pietoso ed a giusto Ente confido.

V

Se etade, infermità, dolori, angustie,

m'assaliranno con tormenti alterni,

so che l'uomo a lagnarsi è destinato,

e a le fatiche ed a le noie mie

io sottrarmi saprò. Ma come io posso

non innalzar acute grida contro

il decreto del Ciel, che de' prodigi

inventa e manda per la mia rovina?

Agricoltore che non manca mai

d'offrir preghiere e voti al Cielo irato,

paziente soffre le cadute piogge

fuor di stagione. Il Cielo ei benedice

per tutto ciò che sua bontà gli lascia,

e senza lamentarsi in erba vede

tronca nel campo l'aspettata messe.

Pur quanto mai bestemmierebbe in onta

del pio sermone se cadesse un astro

e tutti incenerisse i campi suoi?

VI

I patetici versi a me son sacri?
Tutto ciò dunque che vi diede il Cielo
inutilmente è sparso e a voi non giova
fortuna immensa e bella sposa? Assai
non è ricompensato il vostro amore,
la vostra vanità non è contenta?
Ciò non curando voi me perseguite,
me, dissi, sola, senza grazia alcuna
tranne la novità. Quant'io detesto
uom tale, e quanto la follia disprezzo
di sospir finti e d'affettate lodi!
Quella felicità che possedete,
senza ragione abbandonate, attento
de' piaceri a cercar nelle tristezze
che cagionar sperate. Perché mai
povera simia, imitatrice tanto
d'uomo simile a voi, porta pesante
catena al collo e s'imprigiona in gabbia,
forse perché chinese tazza ruppe
o lacerò pinto ventaglio, mentre
impunito passeggia uom distruttore,
senza che reti il leghino o vergogna
lo ristringa in se stesso? Voi tentate

squarciare il core ed annerir la fama

scherzando, e osate di lagnarvi mesto

con dolor contrafatto, e arditamente

altrui chiedete qual mendico ladro.

Oh possa in breve qualche ninfa ultrice

far ripiombar su voi la finta pena.

Lunga, lunga è stagion che voi schernite

la possanza d'amor, ma al fin degli occhi

vedrete e sentirete al fin un core.

Così i ladri scherniscono i dolori

ed il timor che han dato a chi rubaro;

ma la giustizia nel punirli scopre

che non è la paura ed il terrore

cosa da scherno, e nel soffrirne i danni

in lor s'addoppia l'angoscioso affanno.

VII

Perché vivete voi così solinga,
o Delia, e in languidezze ed in omei
trapassate la vita? Assai toglieste
a una folla d'amanti il vostro aspetto
per ber l'angliche gocce. Il volto mesto,
il mesto cor non renderà la vita
al diletto Damone. È lungo tempo
che i vermi il divorâr; né più il vedrete.
Vi consigliate con lo specchio e il vostro
viso mirate. Lagrime cotante
lo guasteranno, ed i perduti vezzi
non avranno altra primavera. Io nacqui
donna qual voi, e so qual voi la forza
ch'hanno i vapori. È infermità comune.
Tutte abbiam mal di milza; e non sanaro
della moral le massime più sagge
il minore neppur de' nostri guai.
Il più amabile voi tra tanti amanti
sceglier vi piaccia, e sopra tutto quello
che più degli altri ha gioventude e spirto.
Io vi prego d'udirlo un'ora al giorno,
ed un'altra la sera, e questa dose
fia bastante rimedio al vostro male.

VIII

Colà vedete quelle due colombe
raddoppiare a vicenda i dolci baci,
e non curando l'invide censure
gl'innocenti piacer seguir contente.
Non reo timor di povertà futura
la molle quiete al loro nido turba;
non interesse la felice coppia
frastorna. Da le cure esse protette,
della natura provida alle leggi
sagge ognora ubbidiscono, e la loro
fida costanza è di natura dono.
Àvvi dottrina ne le nostre scuole,
ne la nostra morale àvvi precetto
che insegni tal felicità perfetta?
Del Creator l'onnipotente mano
essenza indivisibile compose
la virtude e 'l piacer in un temprando,
ed in vano lascivia ed accortezza
tentan di separar la tempra eterna.
Non gode, no, felicità verace
stoico severo e dissoluto stolto.

IX

Della notte secreta argentea Diva,

testimon fido de' piaceri ignoti,

custode degli amanti e delle Muse

fautrice, reggi me ne' boschi oscuri.

Da' tuoi pallidi rai scorto, io cammino

su la terra, ed a te svelo i più cupi

pensieri. Ah indora il taciturno bosco

dolcemente serena, amica mia,

e mia guida e mia Dea. Bella Reina,

te dalla tua prodigïosa altezza

il lusinghiero Endimïone attrasse

del velo ingombra della notte oscura,

della tua ampiezza in onta e del tuo gelo.

X

I nostri padri, nati schiavi, a forza
di contrasti, di sangue e di fatiche
comprâr la cara libertade; e noi,
posterità degenerata, tutto
per schiavi ritornar mettiamo in opra.

L'USIGNUOLO

Francesco De Lemene

Nel muto orror di solitarie piante,

Sotto notturno cielo,

Mentre solo men vo tradito amante,

E di Fille e d'Amor io mi querelo,

Sento mesto usignuolo

Che rïempie cantando all'äer fosco

Con l'amaro suo duolo

L'aure di gioia e di dolcezza il bosco;

Poichè sull'erma e taciturna riva

Altri allor non mi udiva,

Delle mie pene e degli inganni altrui

Così mi prese a vaneggiar con lui:

Usignuol, che in questo lido

Al tuo mal conforto chiedi,

Credi tu, dillo se'l credi,

Che da Fille io sia tradito?

Allora in suo linguaggio

Il musico selvaggio

Mi risponde così:

Sì sì sì sì sì sì sì ti tradì.

Come oh dio! potea lasciarmi

Per seguir chi men l'adora?

Io so pur che Fille ogn'ora,

Fille ognor dicea d'amarmi.

Allora in suo linguaggio

Il musico selvaggio

Così mi replicò:

No no no no no no no non t'amò.

Dunque rotto il laccio duro

Scaccerò Fille dal core,

Il farò, sentimi, Amore,

Il farò, tel dico e'l giuro.

Allora in suo linguaggio

Il musico selvaggio

Disse, quando giurai,

Mai mai mai mai mai mai mai nol farai.

LILLA E AMORE

Insegnando ad Amor musica un dì,

S'udian Lilla ed Amor parlar così:

L. Questo è un Do

A. Do

L. Questo è un Re

A. Re

L. Questo è un Mi

A. Mi

L. Questo è un Fa

A. Fa

L. Questo è un Sol

A. Sol

L. Questo è un La

A. La

L. Quando ascender si dee,

Allora questo La si muta in Re.

Quando a basso si va,

  Allora questo Re si muta in La.

Sulla prima lezione

  Lilla insegna ad Amor la mutazione.

AMOR CHE DORME

Tacete, oimè, tacete;

Entro fiorita cuna

Dorme Amor, nol vedete?

Tacete, oimè, tacete

Non sia voce importuna

Che gli turbi il riposo ov'ora giace.

Sol quando Amor ha posa il mondo ha pace.

MALE D'AMORE

Per soverchio ferir stanco e sudato

Di bel giardin fra i fiori

Di Ciprigna dormía l'ignudo figlio,

Quando dall'alvear drappello alato

Uscì di pecchie, e sovra lui si pose.

Altre credendo il sen candido giglio,

Altre i labbri due rose

Ed ognuna rugiada i suoi sudori:

Coi sudori d'Amor composti i favi

Oh quanto dolci fian, quanto söavi!

Ma no, quel mel (chi'l crederia?) quel mele

Amaro è più del fiele.

AMOR PRENDE GRILLI

Un dì, sentite, o Filli,

  Si pose un dì nel prato Amor fanciullo

  Con pueril trastullo a prender grilli.

  Cento ne prese e cento,

  E lieto stava intanto

  Ad ascoltar quei replicati trilli,

  Ma in poco d'ora infastidissi, e poi

  Cacciò tutti que' grilli in capo a voi.

LITE GIOCOSA, DECISA DA ELPINO E FILLI

Elp. Oggi fa l'anno appunto

  Dal dì, Fille mia, che Amor col fischio

  Quel mal accorto augel trasse nel rischio.

Fil. Sì quell'incauto augel, quel che a vederlo

  Era uno storno.

Elp. . . . . Era un merlo.

Fil. Era uno storno.

Elp. . . . . Era un merlo.

Fil. Uno storno.

Elp. . . . . Un merlo.

Fil. Io il vidi, e non m'inganna il guardo mio.

Elp. Chi'l sa meglio di me, che'l vidi anch'io?

  E sempre il dissi, ed a ridirlo torno,

  Era un merlo.

Fil. . . . . Era un storno

Elp. Era un merlo.

Fil. . . . . Era un storno.

Elp. Un merlo

Fil. . . . . Un storno.

A DUE

Orsù finiam la lite,

Udite la sentenza, amanti, udite:

  Si dichiara, che quelli

  Incauti troppo e mal accorti augelli,

  Che nel vischio d'amor veggiam ridotti,

  Tutti si posson dir storni e merlotti.

TIRSI E SILVIO

Tir. Amiamo, o Silvio, amiamo.

Sil. Beviam, Tirsi, beviamo.

Tir. Io son d'Amor seguace.

Sil. Bacco seguir mi piace.

Tir. Io bramo Lilla.

Sil. Il dolce vino io bramo.

Tir. Amiamo, o Silvio, amiamo.

Sil. Beviam, Tirsi, beviamo,

  Questo vin spiritoso, oh come brilla!

Tir. Di questo vin più spiritoso è Lilla.

Sil. O come il sen mi molce

  Questo vermiglio e liquido cinabro!

Tir. Di questo vin più dolce,

  Della mia Lilla è più vermiglio il labbro.

  Chi sa dir, chi sa dir qual sia il migliore,

  La dolcezza di Bacco, oppur d'Amore?

A DUE

Io so ben ch'egual danno ognor riceve,

Pastori, chi troppo ama e troppo beve;

Che di Bacco e d Amor son questi i vanti

Far ebbri i bevitor, pazzi gli amanti.

La Rosa

È pur bella la rosa, onor di Flora

E fenice dei fiori;

Ma se gli occhi innamora,

La man non innamori:

Di spine armata va

Sua modesta beltà.

È pena della man, gioia degli occhi:

Dunque l'ami chi vuol, ma non la tocchi.

POESIE
Ciro Di Pers

I.   Le chiome nere

Chiome etiòpe, che da' raggi ardenti
de' duo Soli vicini il fosco avete,
voi di mia vita i neri stami sète,
onde mi fila Cloto ore dolenti.

O del foco d'amor carboni spenti,
ma che spenti non meno i cori ardete;
pietre di Batto, che mostrar solete
falsi d'ogni altro crin gli ori lucenti;

o di celeste notte ombre divine;
in duo emisperi è il ciel d'Amor diviso,
e voi del giorno suo sète il confine.

Venga chi veder vuole entro un bel viso,
con una bianca fronte e un nero crine,
dipinto a chiaroscuro il paradiso.

II.   La veste bianca

Bianca tra bianche spoglie era Nicea,
né saprei dir quai fusser bianchi meno,
mentre un leggiadro paragon facea,
i candori del manto o quei del seno.

Corsi a mirarla, e di stupor ripieno:
– Donna non è costei – fra me dicea, –
ché raggio splende in lei piú che terreno,
ma la nunzia del Sol, candida dea. –

Quando il soverchio lume insieme unito
col soverchio calor, cadde repente
l'occhio abbagliato, il core incenerito.

Allor gridai con un sospiro ardente:
– O del manto dell'alba è il Sol vestito,
o l'alba è piú del Sol fatta lucente! –

III.   Il bambino

Vago fanciul, che fra le braccia stretto
de la mia dea, dal suo bel collo pendi,
e l'inesperta man scherzando stendi
or agli occhi or al labbro ed or al petto:

tu, di doglia incapace e di diletto,
tocchi il Sol, tratti il foco e non t'accendi,
siedi in grembo a la gioia e non l'intendi;
oh quanto per te provo invido affetto!

Deh, potess'io cangiar teco il mio stato;
ché, possessor di sconosciuto bene,
sarei non infelice e non beato.

Giá ch'intero piacer qua giú non viene,
se ventura al gioir mi nega il fato,
mi negasse egli ancor senso alle pene!

IV. L'eloquenza degli occhi

Poco è facondo Amor quando egli scioglie
innamorata lingua ai dolci accenti;
poco in querulo suon mesti lamenti
acquistan fede alle amorose doglie.

Ben è facondo allor quando egli toglie
a far loquaci duo begli occhi ardenti,
che formando co' rai note lucenti
fan palesi del cor l'interne voglie.

Egli è bambino Amore: a pena ei puote
snodar la lingua alla favella, e poco,
fuor che nel guardo, egli ha loquaci note.

Ma con lingua disciolta aver può loco
core annodato, e solo altrui far note
può le fiamme del sen voce di foco.

V. Purificazione in amore

Prima, Nicea, che 'l tuo bel ciglio ardente

mi soggettasse agli amorosi oltraggi,

per l'orme del piacer torti vïaggi

fêron col senso i miei desir sovente.

Ora d'amor lo stimolo pungente

desta ne l'alma mia pensier piú saggi,

e mi porgono i tuoi pudichi raggi,

non men che fiamma al cor, luce alla mente.

Veggio ch'ogni tua cura al ciel diretta

have d'eterno ben santo desio,

e che lassú ten poggi, anima eletta.

E voglio, al ciel drizzando i passi anch'io,

la tua scorta seguir, pura angioletta,

per teco unirmi eternamente in Dio.

VI.   Sopravvivenza dell'amore alla bellezza

Languidi raggi e scoloriti fiori
entro 'l bel volto tuo scorgo, Nicea;
e pur quivi il mio sen, come solea,
s'arricchisce di gioie e di dolori.

Sfavilla ancor per entro ai tuoi pallori
quel non so che, quel che mi strugge e bea;
piú vago un tempo il tuo bel ciglio ardea,
ma non vibrava giá piú gravi ardori.

Sempre per me tu sarai bella, ed io
sempre amante per te: non è mortale,
non ha mortale oggetto il mio desio.

Indarno il tempo s'arma, indarno assale
la tua beltà con gli anni e 'l foco mio,
ché non soggiace a lui cosa immortale.

VII. Sullo stesso argomento

Veggio, veggio, Nicea, le tue vezzose

guance oblïar le porpore native,

ché, quasi timidette e fuggitive,

vansi tra i gigli ad occultar le rose.

Le nevi, ove le fiamme Amor nascose,

son de la lor vaghezza in parte prive,

e con languidi raggi e semivive

faville ardon le tue luci amorose.

Scema in te la bellezza, e forse ancora

di par negli altrui cor manca il desio,

mentre manca quel bel che gl'innamora.

Ma non scema però l'affetto mio,

ch'oggetto fral non ama e solo adora

un raggio in te de la beltà di Dio.

VIII. La lotta col tempo

Mentre vuoi riparar del tempo il danno,
il tempo, o Lidia, inutilmente spendi;
quell'ore stesse ch'a lisciarti attendi
per giovane parer, vecchia ti fanno.

I mentiti color forza non hanno
di destar, di nutrir d'amor gl'incendi;
cedi, cedi pur vinta e l'arme rendi,
ché 'nvan contrasti al volator tiranno.

Cosí cadendo va bellezza umana,
e per riparo ogni sostegno è frale
e per ristoro ogni fatica è vana.

Ah, che l'impiastro tuo punto non vale
per le piaghe del tempo, e sol risana
le piaghe in me de l'amoroso strale.

IX. Sullo stesso argomento

Oblia la fronte, o Lidia, i suoi candori,

disimparan le guance il lor vermiglio,

e qual ombra aduggiò la rosa e 'l giglio?

e chi dal volto tuo sbandí gli Amori?

Al tuo leggiadro april fura i tesori

del tempo involator l'ingordo artiglio,

ed allo specchio invan chiedi consiglio

di ravvivar gl'inariditi fiori.

Non può far d'aurei fregi il manto adorno,

non le nevi mentite o gli ostri finti

ricorrer dietro un sol passato giorno.

Tutti i tuoi vanti alfin l'etade ha vinti,

ed hai nel volto per maggior tuo scorno

di propria mano i suoi trofei dipinti.

X.   La penitente

Sotto il cener del manto il foco ascoso

porta costei, ch'in umiltá risplende;

con la pietá del cor fa il ciel pietoso

e col cielo del volto i cori accende.

Per posar nel suo Dio non ha riposo,

e per difender l'alma il corpo offende;

e se del crin straccia il tesoro ondoso,

con le perle degli occhi adorno il rende.

Quindi, mentr'ella piange il proprio errore,

adorar mi costringe il volto amato

e mi fa reo di profanato amore.

Deh, come potrá il Ciel render placato,

se fra i cilici ancor m'infiamma il core,

e la sua penitenza è il mio peccato?

XI.   La dipanatrice

Un girevole ordigno oggi volgea

Filli, di bianco stame intorno avvolto,

che d'ampio cerchio in picciol globo accolto,

quanto scemava l'un, l'altro crescea.

Quella la rota d'Issïon credea

il mio cor, ch'in que' giri era rivolto;

se ben colei che l'aggirava, al volto

piú ch'una furia un angelo parea.

Lo stame quello fu de la mia vita,

ch'io vedea con piacevoli martiri

passar di bella parca in fra le dita.

E se pria dilatossi in ampi giri,

or la raccoglie in uno, e vuol ch'unita

solo nel suo bel volto e viva e spiri.

XII.   Le lodi della fatica

Varcar col nuoto il rapido de' fiumi,

l'erto dei monti superar col corso,

di feroce destrier regger il morso,

varie genti cercar, vari costumi;

errar per aspre balze ed aspri dumi

l'adiroso cinghial tracciando e l'orso;

del profondo ocean fender il dorso,

benché frema orgoglioso, irato spumi;

la sete al fonte trar, la fame al bosco,

per le nevose piagge e per l'aduste

sudar col nasamon, gelar col mosco;

di ferrea scorza aver le membra onuste,

quand'è il ciel luminoso e quand'è fosco;

delizie ed agi son d'alme robuste.

XIII. Il cacciatore d'archibugio

Solo e notturno uccellator tonante
chiama l'usato can, la fune accende;
cinto di grave cuoio il piede errante,
laberinti palustri e cerca e fende.

Immoto al fin su riva ascoso attende
tra soffi d'aquilon lo stuol volante,
ch'alla valle s'invola e al mar si rende,
mentr'a l'aurora il dí bacia le piante.

Vibra Giove alle fère unico un telo,
ma questi a lo scoppiar d'un colpo solo
mille alati cader fa al flutto, al gelo.

Che piú? s'ei può, stringendo un dito solo,
trar fulmini dall'acque, augei dal cielo,
far il piombo volar, piombar il volo!

XIV. All'amico che ha preso moglie

Per secondar le sconsigliate voglie,

sei d'Imeneo fra i prigionieri accolto;

quella promessa hai proferito, o stolto,

che la sí dolce libertá ti toglie.

Laccio, che fuor che morte altri non scioglie,

t'hai da te stesso intorno al collo avvolto;

tu te medesmo a te medesmo hai tolto;

Lidio, non sei piú tuo, sei della moglie.

Ore non piú sperar tranquille e liete,

cure noiose ingomberanti il petto,

e piú moleste allor che piú secrete.

Sei sposo, addio riposo: entro un sol tetto

non soglion albergar moglie e quïete,

né si divide senza lite il letto.

XV.   Al proprio letto

Mio notturno sepolcro, ove doglioso

ad ogni moto sol la morte imparo,

pien di cure dïurne in pianto amaro

nella mia requie inrequieto io poso;

chiuder luci sicure in te non oso,

mentre agli affanni miei cerco riparo;

so che del tempo un sol momento avaro

ivi dè' alfin rapire il mio riposo.

Questi alzati sostegni alzan ruine;

queste piume ch'io premo, ancor che morte,

fabrican ale al volator mio fine.

Tu, funesto feretro, al suol mi porte;

in te, nido vitale, io so che alfine

con assiduo calor covo la morte.

XVI. Al sonno

Son nelle rene mie, dunque, formati
i duri sassi a la mia vita infesti,
che fansi ognor piú gravi e piú molesti,
ch'han de' miei giorni i termini segnati?

S'altri con bianche pietre i dí beati
nota, io noto con esse i dí funesti;
servono i sassi a fabricar, ma questi
per distrugger la fabrica son nati.

Ah, ben posso chiamar mia sorte dura,
s'ella è di pietra! Ha preso a lapidarmi
dalla parte di dentro la natura.

So che su queste pietre arruota l'armi
la morte, e che a formar la sepoltura
nelle viscere mie nascono i marmi.

XVII. Il mal di pietra

Son nelle rene mie, dunque, formati
i duri sassi a la mia vita infesti,
che fansi ognor piú gravi e piú molesti,
ch'han de' miei giorni i termini segnati?

S'altri con bianche pietre i dí beati
nota, io noto con esse i dí funesti;
servono i sassi a fabricar, ma questi
per distrugger la fabrica son nati.

Ah, ben posso chiamar mia sorte dura,
s'ella è di pietra! Ha preso a lapidarmi
dalla parte di dentro la natura.

So che su queste pietre arruota l'armi
la morte, e che a formar la sepoltura
nelle viscere mie nascono i marmi.

XVIII.   L'orologio da ruote

Mobile ordigno di dentate rote

lacera il giorno e lo divide in ore,

ed ha scritto di fuor con fosche note

a chi legger le sa: sempre si more.

Mentre il metallo concavo percuote,

voce funesta mi risuona al core;

né del fato spiegar meglio si puote

che con voce di bronzo il rio tenore.

Perch'io non speri mai riposo o pace,

questo, che sembra in un timpano e tromba,

mi sfida ognor contro all'etá vorace.

E con que' colpi onde 'l metal rimbomba,

affretta il corso al secolo fugace,

e perché s'apra, ognor picchia alla tomba.

XIX. Ego sum qui sum

Triplicata unitá, trino indiviso

son io che mi distinguo e son l'istesso;

e mentre in tre persone io son impresso,

io son tre, tre son uno, uno è diviso.

Son senza luogo in ogni luogo fiso,

né luogo mi comprende e son in esso;

io sol sono ed il tutto ho sempre appresso,

tutto veggio e in me sol godo e mi affiso.

Privo di estensïon, convien che mande

di mia presenza in ogni parte il dono,

ch'indivisibil si divide e spande;

e, senza qualitá, son tutto buono,

e, senza quantitá, son tutto grande:

io son chi sempre sono, io son chi sono.

XX.   Il terremoto

Deh, qual possente man con forze ignote
il terreno a crollar sí spesso riede?
Non è chiuso vapor, come altri crede,
né sognato tridente il suol percuote.

Certo, la terra si risente e scuote
perché del peccator l'aggrava il piede,
e i nostri corpi impazïente chiede
per riempir le sue spelonche vote.

È linguaggio del ciel che ne riprende
il turbo, il tuono, il fulmine, il baleno;
or parla anco la terra in note orrende,

perché l'uom, ch'esser vuol tutto terreno,
né del cielo il parlar straniero intende,
il parlar della terra intenda almeno.

XXI. Per una nipotina dell'autore, la quale visse pochi giorni

Fortunata fanciulla, al ciel nascesti

non alla terra, e non ti fu immatura

l'ora fatal che dei tesor celesti

e dell'eterno ben ti fe' sicura.

Tu breve il corso della morte avesti,

che con lungo penare altri misura;

la frale umanitá poco piangesti,

poco spirasti di quest'aria impura.

Chi solca il mar del mondo ogn'or aduna

maggior peso di colpa, e 'l cammin torto

sul tardi dell'etá vie piú s'imbruna.

Vïaggio avesti tu spedito e corto;

navicella gentil fu la tua cuna,

che ti sbarcò del paradiso al porto.

XXII. In morte di Gustavo Adolfo

Qual da turbato ciel fulminea face,

cui da gelido sen nube disserra,

scende tonante a spaventar la terra,

e dopo il colpo incenerita tace;

tal dal freddo aquilon lo Sveco audace

vien ruïnoso fulmine di guerra,

che le moli superbe orrendo atterra,

poi tra l'alte ruine estinto giace.

Dubbie ancor le vestigie avvien che stampi

l'austriaca speme a tal cader risorta,

stordita ai tuoni, abbarbagliata ai lampi.

Pugnan feroci, intanto, e non riporta

la vittoria nessun de' duo gran campi,

ché con Adolfo la vittoria è morta.

XXIII. Cristina di Svezia in Roma

Del baltico Nettun l'algenti arene

lasciando e gli astri ad Anfitrite ignoti,

per sentier troppo, o Roma, un tempo noti,

l'artica regnatrice a te sen viene.

Colma di sant'amor, di santa speme,

quasi l'irriverenti orme de' goti

venga per cancellar co' piè divoti,

dell'avito furor nulla ritiene.

E se ben lungi da nemico orgoglio

con umiltá pacifica s'inchina

del successor di Pietro al sacro soglio;

pur, facendo de' cor nobil rapina,

di Roma soggiogata in Campidoglio

trïonferá la gotica reina.

XXIV.   Contro l'amare una bellezza sola

Ad Andrea Valiero

Celeste dono è la beltá, che scende
ad invaghir qua giú l'umane menti
de' beni eterni, e a sollevarle al cielo;
chiare faville accende
ne' foschi cori e co' suoi raggi ardenti
sgombra de' pigri affetti il lento gelo;
sotto un leggiadro velo,
vie piú ch'all'occhio, all'intelletto scopre
di lavoro divin mirabil opre.

Ma non sempre ella suol ne' regi tetti
covar tra gli ostri e riccamente adorna
sfidar le gemme in paragone e gli ori;
ché d'ameni boschetti
spesso a l'ombra riposta anco soggiorna,
e d'un puro fonticel si specchia e lava,
e co' fregi dell'erba i crini agrrava.

Fan di gemme inaspriti aurei monili,
d'argentei scherzi varïati manti,
pompa non di beltá, ma di ricchezza;

son degli avi gentili

l'alte memorie e i celebrati vanti,

fregi di nobiltá, non di bellezza:

ch'ella per sé s'apprezza

e si brama per tutto ove si vede,

e cieco è quei ch'altra ragion ne chiede.

Ma cieco e stolto è quegli ancor che l'ama

solo in un loco, e se la mira altrove

o non la riconosce o non la cura.

Chi la bellezza brama,

la brama sempre in ogn'oggetto, e dove

la scorge ivi d'unirsi a lei procura.

Animata pittura,

ell'è di Dio ritratto; io stimo un empio

chi la vuol adorar solo in un tempio.

Quegli che non ha cor d'amar capace

l'universal bellezza, ama e desia

la bellezza di Filli o di Nigella;

quindi non trova pace

co' suoi meschini affetti; erra e travia,

mentre la luce vuol sol d'una stella,

che se splende rubella

a le sue voglie, infra gli orrori immensi

ei non ha scorta al travïar de' sensi.

Sol una è la beltá che 'l divo lume

in piú corpi diffonde, e quasi Sole

a molte stelle i raggi suoi comparte;

ond'è stolto costume

di chi solo in un volto amar ne vuole

con povero desio picciola parte.

Volgi l'antiche carte

e sovente vedrai lo stesso Giove

in nuovi oggetti amar vaghezze nove.

Tu, saggio Andrea, che non restringi il core

fra l'angustie d'un viso, e a' desir vasti

una sola speranza ésca non fai;

per te non trova amore

entro due sole luci ardor che basti,

e i lacci d'un sol crin non sono assai.

Quindi è che tu ben vai

col libero pensier per varie forme

de l'unica beltá tracciando l'orme.

Quind'è ch'or la capanna ed or la reggia

ti vede amante a vagheggiare intento

una sola bellezza in molte belle;

né creder giá ch'io deggia

dannare il tuo consiglio; anch'io mi pento

che non presi a cercar altre facelle,

tosto che le due stelle,

che m'allettaron pria, mostrârsi avverse

e fèro orgoglio il mio sperar disperse.

Sciocco Tantalo er'io che 'n mezzo l'acque

dura sete soffria, perché volea

sol di fonte lontana onda interdetta.

La beltá che mi piacque,

mentre mal saggio fui, solo in Nicea,

or dovunque la miro ivi m'alletta.

Due begli occhi ha Lisetta

ed ha Clori un bel sen di vivi avori:

di Lisetta amo gli occhi e 'l sen di Clori.

XXV. I viaggi sulle galee di Malta

Qui dove, Iola, in grembo al mar sen corre

dal mal gradito amante

fuggitiva Aretusa,

d'orme penose imprimo

il bel lido sicano,

col pensier misurando

quanto mar, quanto cielo

quanta terra fraposta mi disgiunge

da quelle ch'io solea

chiamar de l'alma mia parti migliori,

di cui l'una sei tu, l'altra è Nicea.

E penso ch'ora a punto

l'intero suo cammin fornito ha il sole,

da ch'io lasciai partendo

cotesti ameni colli, che sovente

imparano a fiorire

da quelle belle guance,

e son forse ancor caldi

dell'amoroso ardor di que' begli occhi;

ed ho in spazio sí breve

tanti lidi trascorsi,

che de l'itaco duce

stimo men lunghi i peregrini errori.

E se d'udir t'aggrada

quel che feci pur dinanzi

per le contrade eoe lungo camino

sui nostri armati pini,

che contra l'elespontico tiranno

spiegan candida croce

in purpureo vessillo,

tel narrerò: della mia rozza musa

tu gli accenti improvisi intanto escusa.

Giá mezzo avea trascorso

della fèra nemea l'adusto segno

il portator del lume,

allor che i bassi lidi

di Melita lasciando

con cinque audaci legni

ch'hanno d'armi e d'eroi gravido il seno,

venimmo a queste arene

dove l'antica Siracusa ancora

con rinovate moli

contro il tempo contrasta;

e di qua poi rivolte

al rinascente Sol l'ardite prore,

fidammo i lini al vaneggiar de l'aure,

e dopo lunghi spazi

di vastissimo mare,

mentre spuntava in ciel la quinta aurora,

sorger si vide a fronte

di Berenice il lido,

che di cinque cittadi, onde famosa

fu Pentapoli un tempo, appar primiera.

Quindi non lungi infra i cerulei flutti

chetamente confonde

l'oblivïoso Lete

i suoi tartarei umori.

Si vide poscia il loco

dove era Arsinoe e dove

Tolomaide risorse,

dove Apollonia fu, dove Cirene,

ché dall'alte ruine

sparso da lungi ancor biancheggia il suolo.

Giá fûr cittá superbe, or sasso a pena

v'è ch'a sasso sovrasti:

cosí fragili sono incontra il tempo

l'opere de' mortali.

Non have alcun albergo

che sembri ad uso umano

quel barbaro terreno; e pur è tutto

dagli uomini abitato,

i quai non so s'io debba

infelici chiamare o pur beati;

cosí mal si misura

l'altrui felicitá coi propri affetti.

Ma se beati fûro

quei del mondo novello

primieri abitatori,

perché non doverò chiamar beati

questi ancora, che sono

tanto a lor somiglianti?

Quello che piace lece,

quel che diletta è onesto;

re, ciascun a se stesso

obbedisce e comanda,

né tien, fuor che la gregge, altri soggetti.

Quindi essi tranno il cibo,

qualor non glielo dan le scosse palme;

la clemenza dell'aria,

over l'uso piú tosto

toglie loro il bisogno

d'ingombrar con le vesti

l'esercitate membra,

ed hanno al caldo, al gelo

letto il suol,

tetto il cielo.

Nessun di vano onore

rispettoso ritegno

pon mèta ai lor diletti;

nessuna avara brama

le lor menti molesta;

poiché 'l biondo metallo,

d'ogni volere espugnator possente,

solo fin de' mortali e sola cura,

appo lor è sí vile

che in nessun pregio, in nessun uso s'have.

Son tai gli abitatori

della bella Cirene, ed anco appresso

di Marmarica tutta,

che tutta noi scorremmo

con le temute prore

per insino a l'Egitto,

presso a cui verdi lidi

il Nilo, peregrin del paradiso,

stanco dai lunghi errori,

riposa in grembo a Teti,

che non come vassallo

ma come ospite suo l'onora, e pare

che turbar non ardisca

co' salsi flutti i di lui dolci umori.

Qui nel lido si vede

la famosa cittade

cui diè l'essere e 'l nome

il Macedone invitto.

Quindi non lungi un giorno

nell'apparir della novella aurora:

– Ecco – s'udí gridare, – ecco una squadra

di veleggianti abeti. –

Destossi a quelle voci

di ciascuno guerriero

e la speme e l'ardire,

e con veloce moto

spingendo i remi e dando in preda a l'aure

da l'alte antenne le piú larghe vele,

s'affrettava il cammino.

Giá giá distinta appare

di torreggianti pini

la vasta forma, e da l'eccelse poppe

scorgonsi tremolar le tracie lune,

onde certo ciascuno

che son nemici: – All'armi, all'armi – grida,

e di ferrato usbergo

il petto cinge, e grava

d'elmo pesante l'onorata fronte,

e la spada fedell s'acconcia al fianco,

tenendo ne la destra

apparecchiate le fulminee canne.

Ed ecco, ecco d'intorno

freme il ciel, mugge il mar, rimbomba il lido,

mentre i bronzi tonanti

con orridi fragori

replican quinci e quindi

gli spaventosi colpi.

Fugge timido il giorno

tra densa nube ascoso

che celando l'orror l'orrore accresce;

ne' piú riposti fondi

vanno a tuffarsi le cerulee ninfe,

e timido Nettuno

fin oltre il varco d'Elle

gli squammosi destrier fuggendo affretta.

Stringesi intanto la feroce pugna,

e de' nostri l'ardire

ogni vantaggio de' nemici adegua,

in guisa tal, che i dieci

cedono a' cinque, ed hanno

ogni speme risposta

nella vicinitá del porto amico.

E giá l'un d'essi in mezzo agli altri, a fronte

della cittá nemica,

nostra preda rimane;

gli altri fidan lo scampo

ai lini fuggitivi.

Cresciuto il vento intanto

disperse in noi la speme

de la vittoria intera,

e la lor favorí timida fuga.

Allor quindi partendo,

le vincitrici antenne

volgemmo inver' Boote;

né corse il Sol tre volte,

di lá dov'ha per cuna aurato il Gange

fin lá dove ha per tomba aurato il Tago,

ch'accostammo le prore

a quelle un tempo sí felici piagge,

che de la dea piú bella

furon delizia e cura.

Or soffrendo l'impero

di barbaro tiranno

sono piú che ad Amor soggette a Marte;

pur mostran ne l'aspetto

placida amenitá, ch'alletta il guardo

a rimirar colá fiorito un prato,

qua verdeggiante un bosco,

quinci un'aprica collinetta e quindi

una riposta valle,

in cui serpeggia un fiumicel lascivo,

che 'n fra smeraldi teneri confonde

i sussurranti suoi fugaci argenti,

che sembran dire: – Anco qui regna Amore –

Qui Pafo, o pur di Pafo

si vider le vestigie, e d'Amatunta;

qui Curio s'additò, qui Salamina.

Drizzati poscia altrove i legni erranti,

fummo di Siria a quei beati lidi,

che di sante vestigie il re del cielo

impresse giá, mentre e l'umane colpe

trasse seco a morir, fatto mortale.

Qui del Tabor, qui del Sion le cime,

qui del sacro Oliveto, e del Carmelo

inchinai riverente, e fra me stesso

piansi di sdegno che per nostro scorno

calchi con piè profan barbara gente

quei lochi santi, e par che ciò non caglia

a quei che sovra il popolo fedele

tengon gli scettri, e poi ciascuno a gara

vuole con vano, ambizïoso nome

dirsi re di Sion, dove non hanno

se non chi prende i loro fasti a scherno!

Nelle fenicie piagge

dapoi vidi Sidone e vidi Tiro,

che giá pescâr nel margine vicino

le pregiate conchiglie

onde il manto tingean gli antichi regi.

A la falde del Libano frondoso

Giulia felice e Tripoli si scorse,

indi Seleucia di Pieria, ed indi

Alessandria minore

entro l'issico seno;

di dove poi prendendo

a tergo il Sol nascente

si scorse lungo la Cilizia e lungo

la Panfilia vicina;

e poi di Licia e poi di Caria i lidi

si costeggiâr. Quivi si prese un legno

degl'infidi nemici,

di ricche merci onusto;

ed altri due pur dianzi,

vinti sol dal timore,

fatti eran nostra preda.

Quivi deserto un porto,

il quale un dí n'accolse,

alla vista n'offerse

d'Alicarnasso le ruine sparte,

e de la vasta mole

onde Artemisia volle

del marito onorar le nobil ossa.

Sono i marmi piú fini

troppo fragili basi

in cui si stabilisca il fasto umano:

quella superba machina, che valse

stancar cinque scarpelli

di Grecia i piú famosi,

or giace sí, ch'a pena

può dirsi: – Ella fu quivi; –

ché tra l'arena e l'erba

è lo stesso sepolcro ancor sepolto.

Poscia Rodi si vide,

che giá fu nostra sede; or vi s'annida

il nemico ottomano,

non so con qual maggiore

scorno, o di noi ch'alla fatale e dura

necessitá cedemmo,

o pur di chi potea, di chi doveva

darci soccorso, e da sicura parte

neghittoso mirava

de' campioni di Cristo il gran periglio,

over commosso da privati sdegni

l'arme irritava ambizïose, ingiuste,

contro quei che la fede avean comune.

S'andò poscia a Carfati, ed indi a Creta,

Creta, patria di Giove,

per ben cento città superba un tempo;

di lá si venne ad Epla ed a Citera,

che Venere nascente

prima raccolse dall'ondose spume.

Malea rimase a destra

ed i tenari lidi

si videro in passando; e Sfragia apparse,

Corifagio e Metone

s'additaron vicini, e non lontani

i colli di Messenia, in verso il polo.

L'isola scorsa, che di Prima ha il nome,

n'accolsero le Strofade, che fúro

giá nido infame de l'immonde Arpie.

Indi Zacinto, ed indi

ne' lidi cefaleni un ampio porto;

e perché Circio irato,

tiranneggiando d'Anfitrite il regno,

tutte commosse avea l'ondose moli,

qui ci fermammo il terzo sole e 'l quarto,

sin che 'l padre Nettuno,

sbandite le tempeste e le procelle,

col tridente appianò l'umide vie.

Traendo allor dall'arenoso fondo

l'áncora adunca per gli aperti campi

della salata Teti,

trascorremmo di novo

sin che riconoscemmo amico il suolo

ne le calabre spiagge; indi passando

il periglioso varco

dove il roco latrato

s'ode di Scilla infame, e di Cariddi

s'aprono le voragini profonde,

entrammo ode a le falde di Peloro

de la bella Messana

con ampio giro si dilata il porto,

che da moli superbe intorno cinto

toglie all'antiche meraviglie il vanto.

Corsero obedïenti

e in ordin lungo s'adattâro i marmi

ai regi cenni tuoi, gran Filiberto,

della cui stirpe al nobil scettro antico

inchinan l'Alpi le superbe fronti.

Dopo qualche dimora

di lá partendo, la felice piaggia

di Trinacria si scorse,

da quella parte che del Sol nascente

esposta giace al redivivo raggio.

Qui vidi Etna fumante

dal cavernoso seno

vomitar, esalar fiamme e facelle;

maraviglioso mostro in cui si scorge

l'ardor unito al gelo,

ché di mezzo alle nevi

sorgon gl'incendi e le solfuree vampe

lambendo van le gelide pruine.

Trascorso poi de' catanesi il suolo

e di Megara, fummo

a questi un tempo sí felici lidi

di Siracusa, e poscia ove Pachino

frange i cerulei flutti;

e lasciatolo a tergo,

di Malta entrammo il sospirato porto,

mèta de' lunghi e travagliosi errori.

In cotal guisa errante peregrino

cerco fuggir dall'amorose cure;

ma sotto ciel diverso

provo i medesmi influssi: ad or ad ora,

con dura rimembranza,

Nicea mi torna in mente,

e del suo nome impresso

d'Asia e di Libia infra i deserti lidi

piú d'un barbaro scoglio insuperbisce,

e vidi l'onda a gara

correre per baciar sí belle note.

Ma giá con rauco suono

le strepitose trombe

ne invitano al partir, l'aure seconde

chiaman le vele; anch'io

men vo co' gli altri; addio!

XXVI.   L'Italia avvilita

A monsignor Gherardo Saracini

O di possente impero inclita sede,
Italia, un tempo e glorïosa e forte,
qual con dure vicende abietta sorte
servil catena or ti consente al piede?

Per opra giá del tuo valor guerriero
cadde lacera al suol l'alta Cartago,
e con l'arene tributarie il Tago
i margini indorò del Tebro altero.

Portò l'Eufrate ad Anfitrite in seno
di pianto prigionier torbide l'onde,
e mormorò tra soggiogate sponde
de' latini trïonfi il vinto Reno.

E s'abbattuto ogn'altro incontro ostile
ai propri danni i tuoi furori armasti,
fûro i tuoi vizi e generosi e vasti
e la tua sceleraggine non vile.

Ché duo mal atti a sopportarsi pari

e men disposti a rimaner secondi,
l'empia discordia de' tartarei fondi
trassero a funestar le terre e i mari.

Fervidi fûr d'ambizïoso sdegno
gli emazi campi, del cognato sangue
rigârsi l'aste, e della patria esangue
su le ruine fabbricossi il regno.

Se 'l vinto o 'l vincitor con più ragione
degli arnesi guerrier vestisse il pondo,
fu tra doppia sentenza ambiguo il mondo,
giudici quinci i dèi, quindi Catone.

Ah, che piú di magnanimo e di grande
nulla ritieni, effeminata e molle!
Gli olivi ond'altri il crin cerchiar ti volle,
furon legami e ti parean ghirlande.

Quindi, fra gli ozi d'una ingrata pace
comprata a prezzo d'un umil servaggio,
oblïato il valor, spento il coraggio,
di barbaro voler fusti seguace.

Ed or se i sonni tuoi rompe talvolta

tromba di Marte, impallidisci e tremi,

e neghittosa infra i perigli estremi

agli altrui scettri ogni tua speme hai volta.

E s'alcun figlio tuo d'ardir s'accinge,

per l'altrui signoria solo contende

e sol la propria servitú difende:

gettisi il brando che sí mal si stringe!

Sotto altro nome e da diversa parte

s'avvien che torni un Annibal novello,

dove un Fabio sará, dove un Marcello,

e dove un Scipïon, folgor di Marte?

Minacci ampia vorago ampie ruine,

e ciò che piú s'apprezza avida attenda;

Curzio s'arretri, e 'n vece sua vi scenda

sparso di molle odor Batillo o Frine.

Erri la destra, e gastigar la voglia

Muzio moderno; avralla forse il foco?

Anzi né pure il Sol vedralla un poco,

se non coperta d'odorata spoglia.

S'opponga il Tebro tumido e sonante

a Clelia, e rivedrem l'esempio antico,

non giá se d'uopo fia torsi al nemico,

ma ben se d'uopo fia darsi a l'amante.

Infra i duri novali esercitata

di Cincinnato la virtú robusta

piú non si piega; alma di vizi onusta

torpe fra i lussi e detta vien beata.

Di Curzio e di Fabricio oggi s'onora

l'altera povertá con poca laude;

sol ricchezza s'ammira e 'l volgo applaude

al tradimento ancor, s'altri l'indora.

Oggi chi pregio vuol d'alma gentile

spieghi fra i lussi altere pompe; a lui

Dedalo sudi a far palagi in cui

non vi sia del padron cosa piú vile.

Qui cosí terso il pavimento splenda

che il piede di calcarlo abbia rispetto,

e l'oro qui, sotto il superbo tetto,

d'un pallido fulgor le travi accenda.

Veggansi qui da le pareti illustri

di serico lavor drappi pendenti,

ove su l'ostro co' filati argenti

scherzin degli aghi le vigilie industri.

La mendace di Rodi arte vetusta

qui con mute bugie schernisca il vero,

e sia vil prezzo un patrimonio intero

de l'ombre vane d'una tela angusta.

S'ornin le mense e Bacco in tazze aurate

sposi l'alpino gel: turba di cuochi

sudi ad un sol palato e in vari fuochi

stridano l'esche in piú d'un clima nate.

Aliti nabatei bevan le piume

da la pigrizia acconce, ove gl'impetre

i tardi sonni un molle suon di cetre,

né per lui splenda il matutino lume.

Sorga e ad uso del crin grande apparecchio

trovi apprestato, e qual novella sposa

l'unga, il terga, il gastighi e senza posa

il pettine e la man stanchi, e lo specchio.

Prenda il vestito e sia di foggia strana,

marchio di servitú; gentil lavoro

gl'indori il lembo e serpeggiata d'oro

cinga la spada, inutil pompa e vana.

Greggia di servi a solo fasto eletti,

pari al vestir di ricchi fregi adorno,

arresti il passo al di lui carro intorno,

qual volta avvien ch'ei fastidisca i tetti.

Quinci prenda ad ambir titoli vani,

quindi a mercar con simulati ardori

agli altrui letti ingiurïosi amori,

quindi a sfamar mille appetiti insani.

Ma s'anco sia che bellicose lodi

fra duri studi d'usurpar sia vago,

moderi il freno ad un destrier del Tago

e lo spinga e 'l raggiri in vari modi.

Su questo e di gran piume e di grand'ori

superbo stringa in piazza asta dorata,

trastullo al volgo; e la sua bella amata

plaudendo esalti i non sanguigni orrori.

Tali sono, ed è vero, oggi quei ch'hanno

fra noi piú pregio, ond'a ragion mi sdegno.

Deh, turbi omai questo vil ozio indegno

straniero a Marte, e sia beato il danno!

Gherardo, a te cui de l'aonio monte

cede i musici imperi il biondo dio,

miei carmi aspersi di quel fele invio

ond'amaro ha talor Permesso il fonte;

acciò tu di gran corde armi la lira,

da trarne forti e generosi accenti,

atti a destar ne l'avvilite genti

nobil vergogna e vie piú nobil ira.

XXVII. Le calamità d'Italia

Chi mi toglie a me stesso?

qual novello furor m'agita il petto?

chi mi rapisce? Io seguo ove mi traggi,

io seguo, o divo Apollo,

o vuoi per l'erte cime

del tessalico Pindo,

o su l'amene balze

del beato Elicona,

o lungo i puri gorghi

dell'arcado Ippocrene,

o presso ai sacri fonti

di Permesso, Aganippe, Ascra e Libetro.

Ecco la cetra a cui marito i carmi,

che d'ogni legge sciolti

van con libero piede

a palesar d'un cor libero i sensi.

O de l'idalie selve

temuto nume, s'io rivolgo altrove

lo stil ch'a te sacrai, che d'altro a pena

seppe mai risuonar che de' tuoi vanti

e di colei del cui bel ciglio altero

formasti l'arco a saettarmi il petto,

tu mi perdona ed ella;

le mie querule note

non parleran d'amore.

Lungi da me, deh, lungi

cosí tenero affetto;

un'orrida pietá mista di sdegno

tempri le corde al mio canoro legno.

Veggo da' fonti uscite

del torbido Acheronte

errar crinite d'angui

per l'italico ciel le Furie ultrici.

L'una, pallida, asciutta,

l'ossa a pena ricopre

con pelle adusta, e le canine fauci

con radici satolla, ed a se stessa

i morsi non perdona,

e falce orrida stringe

con cui disperde l'immatura mèsse.

L'altra, tutta stillante

di caldo sangue, il nudo ferro impugna,

e lo sdegno ha negli occhi,

gli oltraggi nella lingua,

nella fronte il disprezzo, e in man la morte.

La terza atro veneno

vomita da la gola,

ch'ovunque passa impallidisce il suolo

e d'orrido squallor l'aere ingombra;

e di vive ceraste

scuote una sferza, ai cui tremendi fischi

sbigottisce l'ardire, ed ella intanto

con orribil trïonfo

sui monti de' cadaveri passeggia.

Perché il timor de' numi

impari ogni mortale,

questo drapel feroce

quasi in un'ampia scena

negl'italici campi

fa di se stesso portentosa mostra.

Chi può con occhio asciutto

a spettacol sí fiero

rigido starsi, ha ben ricinto il core

del piú duro metallo, o chiude in seno

viscere adamantine.

Oh in quante strane guise

languir si mira il villanel digiuno,

chino in su quella terra

che mentí le promesse

e la speme ingannò de l'anno intero,

chiederle almen la tomba,

se gli negò la mensa!

Altri alle sorde porte

dell'avaro crudele

sospira indarno e le preghiere vane

termina con la vita.

Altri, di strani cibi

né pur tocchi finora

dai ferini palati empiendo l'alvo,

per la morte fuggir la morte affretta.

Altri, mentre pur trova

chi con tarda pietate

la sospirata Cerere gli porge,

entro gli avidi morsi

lascia la vita. Altri, de l'empia parca

scorto il fatale irreparabil colpo,

cadavere spirante

porta se stesso a la vorace tomba.

Con qual orror s'ascolta,

con qual orror si mira,

da furor inuman barbara gente

spinta al sangue, a le prede,

mischiar stragi e ruine,

e per lieve cagione

l'armi dovute a vendicar gli oltraggi

del fèro usurpator dell'Orïente

volger contro a se stessi

quei che del vero Dio vantan la legge!

Duro a veder ne' campi,

ove giá lieto il mietitor solea

di Cerere maturi

raccorre i doni e l'animate biade

mieter la morte ed ingrassar col sangue

spaventosa cultrice,

le zolle abbandonate.

Duro a veder l'ampie cittá, le ville,

fatte misera preda

del vincitore ingordo; indi gli avanzi

dati alle fiamme e le delizie amene

de' bei palagi, antico

sudor dagli avi, in breve ora consunti;

e le sacre a Lieo vigne feconde

potate in strane guise

da l'indiscreto ferro,

sí che mai piú non chieda

da lor, se non indarno,

o frondi il maggio o grappoli l'autunno.

Duro a veder su' genïali letti,

prima di sangue aspersi,

le caste mogli vïolarsi; e duro

veder l'amate figlie

immature a le nozze

fatte ludibrio e scherno

piú che diletto di sfrenate voglie;

e per ischerzo barbaro, inumano,

a pena nati i pargoletti infanti

macchiar le cune d'innocente sangue.

Ma piú duro a veder ne' sacri templi,

vano refugio ai miseri, trattarsi

i misfatti piú gravi,

e la votata al cielo

sacra virginitá ne' sacri chiostri

a le celesti spose

con sacrileghi amori

rapire, e dispogliando

gli altari istessi, dagli stessi numi

non astener le scelerate destre.

Ahi, qual dall'altra parte

miserabil spettacolo mi tragge,

ove la peste orrenda

diserta le cittadi? A cento a cento

cadon gli egri mortali

d'ogni etá, d'ogni sesso e d'ogni grado,

cui nulla giova l'arte

del buon vecchio di Coo,

con quante man perita

svelle radici in Ponto,

e con quanti raccoglie

ricchi sudor dagli arbori di Saba;

anzi il medico stesso

cade nell'opra e i propri studi accusa,

sí che ognun fatto accorto

che nell'altrui soccorso è il proprio danno,

fugge, ma spesso indarno,

ché prevenuta è dal malor la fuga.

Non v'è nodo di fede

che con l'amico infermo

stringa l'amico, e col padrone il servo;

anzi all'estremo passo,

privo ognun di conforto,

non ha l'antico padre

pur un de' figli a cui

dia gli ultimi ricordi,

o che gli serri con gli estremi uffizi

i moribondi lumi,

e la canuta madre

cerca indarno con gli occhi,

che dèe chiuder per sempre,

la sua diletta prole;

ma si fugge, s'aborre

dal figlio il genitore,

dal genitore il figlio;

e da la casta moglie

s'oblia l'ardor pudico

verso il caro marito,

parte giá di se stessa.

Solo spavento, invece

de' giá sí dolci affetti

di caritá, d'amore,

entro le menti sbigottite alberga.

Son muti i fòri e sono

l'officine ozïose,

ogn'arte abbandonata;

la mèsse giá matura

entro i campi negletti

l'agricoltore oblia;

e sui tralci pendenti

del dolce ismenio nume

lascia invecchiare inutilmente i doni;

lascia senza custode

andar la greggia errando,

inerme preda ai fieri lupi ingordi.

Di ragunar tesori

la sollecita cura

oblia l'avaro; e l'iracondo oblia

gli antichi sdegni, e degli amati lumi

non apprezza il lascivo i dolci sguardi,

rivolgendo i sospiri a miglior uso.

Per le vie giá frequenti e per le piazze

giá strepitose alto silenzio intorno

e strana solitudine s'ammira,

se non se 'n quanto ad or ad or si scorge

senza pompa funèbre

portarsi in lunghe schiere

a seppellir gli estinti.

Sceglie le tombe il caso, onde ciascuno

fra ceneri straniere

nel sepolcro non suo confuso giace;

ma gran parte insepolta

ingombra i campi intorno,

o di rapido fiume

si raccomanda a l'onde,

ésca al pesce, alla fèra,

se i cadaveri infetti

non aborrisce ancor la fèra e 'l pesce.

Né pur con una sola

lacrima s'accompagna

il folto stuol de' miseri defonti,

poscia che lo spavento

ha nelle luci istupidito il pianto.

O giá sí bella Italia e sí felice,

ah quanto, oimè, da quella

diversa sei! da quella che solea

con dilettosa invidia

vagheggiarsi dai popoli stranieri!

D'ogni miseria colma,

spettacolo doglioso a l'altrui vista

t'offri, a mostrar ch'in terra

ogni felicitá passa fugace.

Santi numi del cielo,

ch'onnipotenti e giusti

con providenza eterna

le vicende ordinate

de le cose mortali,

io non mi volgo a voi;

so ben che i nostri errori

son gravi sí ch'in paragon leggère

s'han da stimar le pene.

Ma ben mi volgo a voi, numi terreni,

a voi che de l'Europa il fren reggete,

e che dai seggi eccelsi

date le leggi al popolo ch'adora

con vero culto deitá non falsa.

Poscia che i vostri immoderati affetti

e quella poco giusta arte d'impero,

che voi chiamar solete

ragion di Stato e gelosia di regno,

sono, a chi il diritto mira,

in gran parte cagion di tanti mali.

Tu che sostieni il glorioso scettro

dell'impero roman, tu che correggi

con la destra possente

la gran Germania, al cui valor sovrano

serva è fortuna, obbedïente il fato;

tu che a tanti rubelli

depor facesti il pertinace orgoglio,

tu che i santi disdegni

rivolti avevi a fulminar sugli empi,

che con rito profano

tolgon l'antico culto ai sacri altari;

perché tronchi nel mezzo

un'opra sí magnanima, e sí giusta?

Qual di ministro infido

consiglio interessato

ti fa stimar piú degno

de l'ire tue sul Mincio un tuo vassallo,

che fuor che 'l regno avito,

per legge a lui dovuto e per natura,

altro non chiede? E se dimostra in questo

forse minor la riverenza in parte

che a te si deve, è tanta

però la colpa, che mandar convenga

cento barbare squadre

nei campi ausoni a comperar la morte

a prezzo di ben mille

stragi, ruine, vïolenze, furti,

rapine, incendi, sacrilegi e stupri?

e (quel che fa piú giusti

miei gridi) a seminar gli empi veneni

de l'idra di Lutero e di Calvino,

onde s'infetti (ah, nol permetta il cielo!)

la bella Italia, ch'è maestra e madre

de la religïon verace e santa?

E poi, se 'l turco infido

ti spezza la corona

degli ungarici regni in su la fronte,

e per sé ne ritien la miglior parte,

non par che te ne curi!

In contro lui t'adira;

è colá degno campo

a tua possanza, a tua fortuna augusta.

Che tardi a vendicar gli antichi oltraggi?

Non son, non son giganti

i traci, no. San paventar la morte

anch'essi, e san fuggendo

a vergognose piaghe esporre il tergo.

Tu che a la Francia imperi,

invitto re de' bellicosi Galli;

tu cui fin nella culla

fanciulleschi trastulli

fûro i guerrieri arnesi,

nutrito all'ombra de' paterni allori,

da la cui forte destra

se piantate non son, fiorir non sanno

le marzïali palme;

ben da giust'ira spinto

l'armi vittorïose

finor movesti, o se dell'empie tane

scacci il rubello o i profanati templi

ritorni al vero culto o se soccorri

l'amico oppresso. Ah, qui l'impeto affrena;

né d'italici acquisti

pensa a glorie, minori

del vasto animo tuo. Volgi la mente

de' tuoi grand'avi alle famose imprese;

essi per simil opre

non salîr de la gloria all'erte cime,

ma perché su l'Oronte e sul Giordano

trofei piantâro e glorïosi e santi,

e di palme idumee cinser le chiome.

Lá t'invian gli esempi,

ti chiaman lá quei generosi spirti

che nutri in sen, di nobil fama ingordi.

Non sa sperar altronde

che dal franco valor giusta vendetta

da tanti oltraggi e tanti

la sacra tomba. A servitú profana
tolta due volte l'ha gallico ardire:
or serba a la tua fronte il terzo alloro.
Vanne e 'n quel sacro marmo
con la tua spada intaglia
il titolo di giusto,
se poscia vuoi che si registri in cielo.

Tu, gran monarca ispano,
che di cento corone
gravi la fronte, al cui possente scettro
piú d'un mondo s'inchina,
che, se dal ciel scendesse
teco a partir l'impero
della mole terrena il sommo Giove,
piú da lasciar che da pigliare avresti;
tu, che quando il Sol nasce e quando more,
a lui presti la cuna, a lui la tomba;
a che dar loco a cosí bassa cura,
fra i tuoi vasti pensieri,
di creder che t'importi
ch'un piú ch'un altro regga
ne' lombardi confin poche castella,
sí che tutti i tuoi fulmini apparecchi
contro il signor di Manto

cui tu dovesti a pena

degnar de' tuoi magnanimi disdegni?

Almen, se non ti preme

che 'l Belga ribellante

schernisca giá tant'anni

le tue giust'ire, a l'Africa ti volgi.

Ella ti siede a fronte

pur lungo tratto e teco

antichi odi professa e spesso ardisce

mandar pochi corsari

a depredar de' regni tuoi le sponde.

Se colá volgi l'armi,

i tuoi guerrieri allori

ne la terra e nel cielo

germoglieran frutti di gloria eterni.

Tu, veneto Leon, tu che raffreni

con giusto impero i flutti

d'Adria, tu che fuggendo

delle spade barbariche l'oltraggio,

con pacifiche leggi

sovra l'onde incostanti

stabil sede fondasti a regno eterno,

ov'han fido ricovro i grandi avanzi

della famosa libertá latina;

deponi omai, deponi

l'antica gelosia. Forse non hanno

i possenti vicini

tanto le voglie ingorde

d'aggrandir co' tuoi danni; o se pur l'hanno,

il ciel ch'ha di te cura,

renderá vani i loro ingiusti sforzi.

Mentre esser puoi delle tragedie altrui

spettator, non ti caglia

entrar in scena a recitar la parte;

riserba i tuoi tesori a miglior uso,

fin che tramonti l'ottomana luna,

che dal sublime punto

le rintuzzate corna

omai piega declive inver' l'occaso;

allor ne' greci regni

offriransi al tuo crin ben cento allori.

Intanto, giá he brama

teco l'aquila augusta

stringer nodo di pace,

tu 'l dèi gradir, che forse

vuol ragion che congiunta

sia col re delle fère

la regina del popolo volante.

Tu, regnator dell'Alpi,

che quinci stendi nell'Italia e quindi

l'antico scettro ne la Francia, ah tanto

non t'alletti la pompa

de' paterni trofei, che non raffreni

gli spiriti magnanimi, e feroci

ch'altro apprezzar non sanno

che bellicose palme!

Deh, lascia che riposi,

dopo tanti travagli,

all'ombra sospirata

di pacifiche olive

il tuo popol divoto,

finché piú nobil tromba

a ricalcar ti chiami

l'orme de' tuoi grand'avi in Orïente.

Ma tu, del Vatican pastor sublime,

padre comun che premi il trono santo

che piú d'ogni altro in terra al ciel s'appressa,

so ben ch'ogni tua cura

rivolgi all'util nostro;

so ben che i tuoi pensieri

altro oggetto non hanno

che 'l servigio di lui, che tra' mortali

in sua vece t'ha posto;

e so che l'api tue,

per fabricar favi di pace in terra,

favi di gloria in cielo,

entro i prati fioriti

de le potenze umane

cercan diversi fiori,

né volan solo ai gigli,

com'altri pensa. Cosí il cielo ascolti

i santi voti tuoi, sí che tu scorga

la tua diletta greggia,

sommerso in Lete ogni privato sdegno,

passar con voglie unite

nell'Asia a racquistar gli antichi ovili,

e l'abbattuta croce

a raddrizzar sul Tauro e sul Carmelo.

Arresta, o cetra, i carmi;

troppo lungo è 'l mio canto; io qui t'appendo,

non come pria d'un verde mirto ai rami,

ma d'un secco cipresso,

per non toccarti fin che non si mostri

il cielo udir placato i voti nostri.

XXVIII. La predestinazione

O muse, o voi ch'ove 'l Castalio inonda

bever torbidi umori a sdegno avete,

ma del sacro Giordan lungo la sponda

v'è diletto appagar piú nobil sete;

datemi note ad abbassar possenti

l'orgoglio ond'uomo in suo voler si fida,

e si crede appressar gli astri lucenti

se sua cieca ragion prende per guida.

Ah, che gli occhi dell'alma adombra a l'uomo

caliginoso orror di nebbia inferna;

fe' che, la destra all'interdetto pomo

stendendo, offese la giustizia eterna.

Quinci da false imagini di bene

deluso, ognor va d'uno in altro errore,

né pur in mente un sol pensier gli viene

che l'inviti a calcar strada migliore.

Né forza ha d'eseguir quanto comanda

la sacra legge del verace nume,

se divino favor dal ciel non manda

di grazia in lui non meritato lume.

Allor col proprio arbitrio al ben ch'intende,
e volontario e libero si move;
allor per l'erta faticosa ascende,
ché sono a sciolto piè facili prove;

allor declina i precipizi, allora
fugge i delitti infra i diletti ascosi;
non han per lui sirene arte canora,
non han per lui vaghezza ostri pomposi.

Tutto in virtú di quell'interna aita,
ch'a suo piacere il gran motor dispensa,
dagl'influssi di lui l'anima ha vita,
egli la pasce ad invisibil mensa.

Nulla abbiam che sia nostro; il vanto cessi
d'un retto oprar, d'una costante fede;
diasi sol lode a Dio; da lui concessi
tai doni son, né merto alcun precede.

L'alto voler di Dio, prima che l'ali
spiegasse il tempo a infaticabil volo,
avea descritto entro gli eterni annali

gli eletti ad abitar lá sovra il polo.

A questi ei preparò gli empirei seggi,

a questi agevolò gli aspri sentieri;

tu che ti fidi in tuo poter, vaneggi;

giunger lá senza scorta indarno speri.

Ben ha folle pensier chi si promette

piú di sé che di Dio. Fidiamci in Lui,

e stimiam libertá ciò ch'ei commette

pronti eseguir, se troviam forze in nui.

Dannasi l'empio: è di giustizia effetto.

Salvasi il giusto: è di clemenza dono.

Questo è da diva man guidato e retto,

quei lasciato a se stesso in abbandono.

– Non viene a me, non viene alcun, se tratto

non è dal Padre mio. Prestisi fede

alle voci del vero: alcun affatto

mai non perdei di quei ch'egli mi diede. –

Sí disse il Verbo. È temeraria inchiesta

del consiglio divin cercar ragione,

perché quella a sé tragga e lasci questa

alma cader ne l'infernal prigione.

D'infinito saper scarsa misura
son pochi raggi d'intelletto umano.
Quanti a noi la sensibile natura
secreti asconde, e 'l ricercarli è vano!

Ei, che del ciel le stelle, ei che l'arene
numerate ha del mar, solo comprende
perché patisce l'un dovute pene,
e l'altro a premi non dovuti ascende.

Ma non quinci al peccar porgan licenza
sciocchi argomenti, e dica alcun: – L'abisso
o 'l ciel m'attende, né cangiar sentenza
puossi di quel ch'eternamente è fisso.

Perché, duro a me stesso, ognor co' prieghi
inutilmente ho da stancar gli altari,
se 'l decreto del ciel non fia ch'io pieghi,
quando a me pene o premi egli prepari?

Dunque, fia meglio a' lieti scherzi intento
passar con Bacco e con Ciprigna il giorno,
e 'l fugace piacer stringer contento,

di tempestive rose il crine adorno. –

Stolto, non t'ingannar! Ciascun l'inferno
col suo voler, col suo poter s'acquista;
e la colpa onde merchi il danno eterno
destinata non è, ma sol prevista.

Ma per salire al ciel non solo i fini,
ma i mezzi ancor son preparati; a Dio
sol ne guida un sentier; mentre il cammini,
forse puoi dir: – Son degli eletti anch'io. –

Ma se per altra via t'inoltri, oh quanto
hai ragion di temere! e 'n fra i timori
d'un danno eterno, ancor ti darai vanto
di goder liete mense e lieti amori?

Amareggiati e miseri contenti,
che dalla via del ciel tranno in disparte!
Deh, stiam quanto si puote al cielo intenti,
grazie rendendo a chi 'l poter comparte!

Di divina rugiada il seno asperso
ne' dotti fogli suoi cosí ragiona,
a le bestemmie di Pelagio avverso,

il saggio, il santo, ond'è famosa Ippona.

Milton Keynes UK
Ingram Content Group UK Ltd.
UKHW050628301023
431584UK00009B/509